癸未

歷代名人年譜卷第七

南海吳榮光撰

信都譚錫慶覆校正
嘉定瞿樹辰校正
南海吳尚志校字

紀年	時事	生卒
南宋 宋孝宗隆興元年 名眘○葬永阜陵 西遼十年 金三年 夏十五年	正月置武舉十科○以史浩爲尚書右僕射同平章事兼樞密使○以張浚爲樞密使都督江淮軍馬開府建康○二月黃祖舜罷○三月以張燾參知政事辛次膺同知樞密院事○金人以書來求海泗唐鄧商州之地及歲幣○張燾罷○四月張浚使李顯忠邵宏淵分道伐金○五月史浩免○以辛次膺參知政事洪遵同知樞密院事○六月汪澈罷以周葵參知政事○貶張浚爲江淮宣撫使安置李顯忠於筠州○辛次膺罷○七月以湯思退爲尚書右僕射同平章事兼樞密使○八月復以張浚都督江淮軍馬○十一月詔廷臣集議和金得失召張浚還○以朱熹爲武學博士既而罷之○十二月陳康伯罷以湯思退張浚爲尚書左右僕射並同平章事兼樞密使浚仍都督江淮軍馬 景盧起知泉州是歲始撰容齋隨筆○景伯還司農少卿	釋慧杲生 鄭仲漁卒年六十 李延平卒年七十一

○金廣寧院牒○金九月靈泉院牒

宋二年
西遼十一年
金四年
夏十六年

四月罷張浚判福州○七月洪遵罷○八月以賀允中知樞密院事○遣宗正少卿魏杞使金○金以完顏守道爲尚書左丞○九月以王之望參知政事○十月賀允中罷○詔輔臣晚對便殿○金兵復渡淮十一月魏勝拒戰于淮陽敗績死之楚州陷○十一月以楊存中都督江淮軍馬○湯思退以罪竄永州行至信州聞太學生張觀等伏闕上書憂悸而死○復以陳康伯爲尚書左僕射同平章事兼樞密使錢端禮簽書樞密院事虞允文同簽書院事○周葵罷○十二月以錢端禮參知政事虞允文同知樞密院事王剛中簽書院事○金以女真字譯經史

務觀到鎮江軍通判任○景伯於十二月充賀金生辰使○八月吳明可登海亭磨崖詩刻○金二月吉祥院牒○金六月洪福院牒

張魏公浚卒於八月謚忠獻

宋乾道元年
西遼十二年
金五年
夏十七年

三月以虞允文參知政事王綱中同知樞密院事○魏杞還自金始正敵國禮○六月王綱中卒以洪适簽書樞密院事○八月虞允文罷以洪造參知政事葉顒簽書樞密院事○錢端禮

程復亨卒年五十九
程康伯卒於二月

乙酉　丙戌

罷○九月以汪澈知樞密院事○十二月以洪适爲尚書右僕射同平章事兼樞密使汪澈爲樞密使葉顒參知政事

七月務觀改任通判隆興軍府事○八月開化寺賜額牒○十月南海廟碑○十一月溧水縣正顏廟碑○金普照寺勅牒○金五月撥修泉池記○金九月華嚴世界海圖并陰

宋二年
西遼十三年
金六年
夏十八年

三月洪适罷○以魏杞同知樞密院事四月汪澈罷○五月修建康行宮○葉顒罷以魏杞參知政事林安宅同知樞密院事蔣芾簽書院事○八月林安宅免○十二月以葉顒知樞密院事○以葉顒魏杞爲尚書左右僕射並同平章事兼樞密使蔣芾參知政事陳俊卿同知樞密院事○置制國用司以宰相領之

務觀免官歸卜居鏡湖之三山○景伯彙隸釋二十七卷○景伯知紹興府浙東安撫使○十一月景盧奏乞自今講讀官以日所得聖語送修注官書之名曰祥曦殿記注又奏欽宗日歷已成宜修纂日錄皆從之十二月十八日序夷堅乙志二十卷合甲乙二書得六百事○漢中新堰記

李微之心傳生

曾志甫卒於五月年八十三

楊存中卒於十一月

散忠義卒

蘇遲卒

丁亥

宋三年
西遼十四年
金七年
夏十九年

○光孝寺免稅碑○金九月
觀音院記

二月出龍大淵爲浙東總管曾
覿爲福建總管○以虞允文知
樞密院事○十一月合祀天地
於圜丘雷葉顒魏杞免○以陳
俊卿參知政事劉珙同知樞密
院事○十二月金出富察通爲
肇州防禦使

務觀名三山書室曰可齋○
景伯於正月序隸釋刻之○
十一月南郊禮成景盧當制
撰赦文○十一月重修南海
廟碑○風雷雨師殿記○金
八月廣濟寺牒○金九月柏
林寺記

蔡仲默沈生
新安王吳武順璘
卒於五月

戊子

宋四年
五月行乾道歷
西遼直魯古天禧
元年
金八年
夏二十年

二月以蔣芾爲尚書右僕射同
平章事兼樞密使○以王炎簽
書樞密院事○八月劉珙罷○
十月起復蔣芾爲尚書左僕射
以陳俊卿爲右僕射並同平章
事兼樞密使芾辭許之○十二
月召建甯布衣魏掞之以爲太
學錄○西遼布沙堪殺其夫蕭
都爾本其舅鄂囉羅討誅之而
立耶律珠勒呼改元天禧

景伯刻隸續十卷○景伯上
章請祠○三月景伯以觀文
殿學士提舉臨安府洞霄宮
自是家居者十有六年○六
月景盧除大中大夫集賢殿
修撰宮觀○景盧進欽宗實

己丑

宋五年
西遼二年
金九年
夏二十一年

錄四十卷○五月崇道觀牒
二月以梁克家簽書樞密院事○罷制國用司○以王炎參知政事三月召四川宣撫使虞允文還以炎代之○以虞允文爲樞密使○七月以曾覿爲浙東總管○八月以陳俊卿虞允文爲尚書左右僕射並同平章事兼樞密使
二月諸葛武侯祠堂記○金
三月福勝院碑并兩側

孫仲益卒 年八十九
楊子和卒於二月 年七十八
王知明卒 年五十八

庚寅

宋六年 閏五月
西遼三年
金十年
夏二十二年

四月罷吏部尚書汪應辰○五月陳俊卿罷○閏月以起居郎范成大爲金國祈請使○以梁克家參知政事○十一月遣中書舍人趙雄如金

楊之美雲翼生
任得敬卒

辛卯

宋七年
西遼四年
金十一年
夏乾祐元年

朱子得雲谷於建陽縣西北榜之晃庵晦庵之號始此時年四十四○務觀赴夔州通判任○景盧除知贛州○金萬壽院牒
正月帝作敬天圖○三月金葬欽宗皇帝於鞏洛之原以一品禮○以張說簽書樞密院事未拜而罷○五月起復劉珙爲荆襄宣撫使珙固辭不起○七月加王炎樞密使○十月金人來聘
王龜齡卒 年六十
五月景盧序夷堅丙志二十卷凡二百六十七事○金十二月乾州思政堂記

宋八年
二月改左右僕射爲左右丞相趙行之與旹生

壬辰

西遼五年
金十二年
夏二年

以虞允文梁克家爲之並兼樞密使○龍左司員外郎兼侍講張栻○復以張說簽書樞密院事罷侍御史李衡等四人都人作四賢詩以紀之○以曾懷參知政事王之奇簽書樞密院事○七月以曾覿爲武泰節度使○罷虞允文爲四川宣撫使

朱子作通鑑綱目○務觀應辟樞密使王炎幕府以左承議郎權四川宣撫使幹辦公事○景伯於五月作盤洲記自稱盤洲老人是月景盧重刻夷堅志○金七月山東文登修縣學記○金十二月大天宮寺記

錢敬之敬直生

赫舍哩志甯卒

癸巳

宋九年
西遼六年
金十三年
夏三年

正月王炎王之奇罷以張說同知樞密院事沈复鄭聞簽書院事○金禁女眞人譯爲漢姓○七月金復以會甯府爲上京○十月梁克家罷○以曾懷爲右丞相鄭聞參知政事張說知樞密院事沈复同知院事○十二月沈复罷以姚憲簽書樞密院事

務觀權通判蜀州事○四月廿三日金劉景文跋米元章虹縣詩跡

薛士隆卒年四十

宋淳熙元年
西遼七年
金十四年
夏四年

四月以姚憲參知政事葉衡簽書樞密院事六月憲罷以衡代之○曾懷罷七月復以爲右丞相兼樞密使○八月張說免○

洪文安景嚴卒於十一月年五十五

虞彬夫卒於二月謚忠肅年六十五

甲午

以楊佼簽書樞密院事○十一月以龔茂良參知政事○楊佼罷○曾懷罷以葉衡爲右丞相兼樞密使○十二月以李彥穎簽書樞密院事○以沈复爲四川宣撫使

冬務觀攝知榮州事過離堆伏龍祠觀孫太古畫英惠王像過眉州宿石佛院○景巖以資政殿學士提舉洞霄宫○六月潼川府學宫碑○潼川府學泮橋記○壺天觀銘○金四月修像施錢記○金五月福嚴院牒○金七月淄州興教院記并勅牒

鄭聞卒於十月

乙未

宋二年 閏九月
西遼八年
金十五年
夏五年

四月宴輔臣於玉津園○六月以沈复同知樞密院事罷四川宣撫使○八月以左司諫湯邦彥爲金國申議使九月葉衡罷○沈复罷○贈趙鼎太傅追封豐國公謚忠簡○閏月以李彥穎參知政事王淮簽書樞密院事

務觀到成都府路安撫司參議官任○六月范成大帥蜀與務觀爲文字交○是歲務觀以公事赴漢州過彌牟鎮八陣原謁諸葛丞相祠○七月朱子作晦庵於廬峰之雲谷自爲記○六月張南軒招隱二字○金五月白馬寺釋迦舍利塔記

宋三年
西遼九年
金十六年
夏六年

四月金始命京府設學養士○
六月召朱熹爲秘書郎不至○
湯邦彥有罪流新州○八月以
王淮同知樞密院事趙雄簽書
院事○冬罷鬻爵
務觀始號放翁年五十二○
金王庭筠登進士第○景伯
增改隸釋千餘字次子秘官
山陰令刊正之○韓蘄王碑
○金二月莊嚴禪院牒○金
四月凝眞大師成道記并陰
○金八月重修宣聖廟記并
陰○金九月大明禪院碑

宋四年
西遼十年
金十七年
夏七年

二月帝謁孔子遂臨太學○六
月罷龔茂良放之英州○以王
淮參知政事○七月罷王雱從
祀孔子○十一月以趙雄同知
樞密院事
景伯於六月跋岐陽石鼓文
是歲病中作遺表後七年而
堯用之范至能爲刻隸續四
卷於蜀○十月務觀游玉局
觀拜東坡先生海外畫像又
取黃庭語名所寓曰心太平
庵○六月周孝侯廟斬蛟射
虎碑○金三月關大王祖宅
塔記○金三清觀鐃盆銘

周慶安生
吳晦叔卒年四十九

宋五年閏六月
西遼十一年
金十八年
夏八年

正月侍御史謝廓然請禁有司
母以程頤王安石之說取士○
三月李彥穎罷○以史浩爲右
丞相兼樞密使王淮知樞密院
事趙雄參知政事○四月以陳

魏華父了翁生
眞景元德秀生
陳伯秀卒年七
郭建卒於閏月年
二十

俊卿判建康府。以范成大參知政事六月罷。以錢良臣簽書樞密院事。十月史浩罷以趙雄爲右丞相王淮爲樞密使錢良臣參知政事

正月十日務觀撰天彭牡丹譜秋到行在除提舉福建常平茶鹽公事。金六月僧惠才山居吟。金七月眞相院蘇書

李忠襄顯忠卒於七月

宋六年
西遼十二年
金十九年
夏九年

夏旱詔求直言
朱子權發遣南唐軍三月到任。夏務觀集漢隸十四卷皆中原及吳蜀眞刻秋游武夷山泛舟九曲溪是歲改提舉江南西路常平茶鹽公事

十二月到任。李彥頴知紹興府增刻洪景伯隸釋五卷於越。五月南山順濟廟記。蘇書金剛經。金三月太史公墓記。金八月鉷谷金燈記

史進道生

宋七年
西遼十三年
金二十年
夏十年

五月以周必大參知政事謝廓然簽書樞密院事
務觀召詣行在仍除外官汎江東歸。二月張敬夫卒年四十八朱子與黃幹書曰吾道益孤矣栻頴悟夙成以古聖賢自期所著論語孟子說太極圖說洙泗言仁錄希顏錄諸葛武侯傳經世紀年行於世學者稱爲南軒先生。呂祖

劉希文章生
魏王愷卒謚惠憲
胡銓卒於十二月謚忠簡

謙作大事記。七月景盧又刻夷堅志於建安是秋解建甯府印歸容齋隨筆成。尤袤刻景伯隸續二卷於江東倉臺華其板歸之越景伯自爲跋。魏城通濟橋記。三月石龍淨勝院捨田記。五月高麗寺錮免劄付碑陰記。金三月朔建石橋記。金七月勑賜留存寺碑

宋八年　西遼十四年　金二十一年　夏十一年

正月詔罷內侍兼兵職。七月著作郎呂祖謙卒年四五祖謙夷簡五世孫也其學本之家庭有中原文獻之傳著讀書記大事記皆未成書考定古周易書說閫範官箴辨志錄皇朝文鑑行於世學者稱爲東萊先生。八月趙雄罷。以王淮爲右丞相兼樞密使謝廓然同知樞密院事。九月錢良臣罷。以朱熹提舉浙東常平茶鹽十二月下熹社倉法於諸路

六月景伯編次淳熙隸釋五十卷成。興福院記。儀制令。金六月博州廟學記并陰。金九陽鐘銘

程威卿震生

宋九年　西遼十五年　金二十二年　夏十二年

七月以李彥穎參知政事。九月以王淮梁克家爲左右丞相兼樞密使。以朱熹爲江西提刑熹辭不拜遂乞奉祠

務觀除主管成都玉局觀。金四月東岳廟記。金十月

陸子壽卒年四十九

謝廓然卒於六月

歷代名人年譜

辛丑

夏十一年
金二十一年
西遼十四年
宋人年

壬寅

夏十二年
金二十二年
西遼九十五年

中岳廟記

癸卯

宋十年
西遼十六年
金二十三年
夏十三年

正月以施師點簽書樞密院事。李彥穎罷。以黃洽爲御史中丞。六月監察御史陳賈請禁道學。八月以施師點黃洽參知政事
金郭建碑。金四月修宣聖廟記。金九月王重陽玉花疏。金靈巖滌公開堂記

岳珂生
李仁甫卒年七十

甲辰

宋十一年
西遼十七年
金二十四年
夏十四年

六月以周必大爲樞密使
務觀作六十吟。景盧起知婺州上巳日序婁機班馬字類書於金華松齋。正月吳琚瘞鶴銘詩。金三月三清殿記。金七月杜天師驚忽圖。金十月四禪寺羅漢洞記。金華州城隍廟碑。金十一月天封寺記。金大明禪院鐘款

洪文惠景伯卒於二月辛酉年四十九
羅端良卒年四十九

乙巳

宋十二年
西遼十八年
金二十五年
夏十五年

二月禁胡服蕃樂
二月修內司帖。三月淳熙秘閣續帖。景盧除提舉佑神觀兼侍講六月兼同修國史。金九月同官靈泉觀記

丙午

宋十三年　閏七月
西遼十九年
金二十六年
夏十六年

五月宴講臣於秘書省。賜處士郭雍號頤正先生時雍年八十三。閏月以留正簽書樞密院事。十一月梁克家罷
務觀除知嚴州。六月八日榮芑跋宋拓五字不損眞定武蘭亭敘。八月景盧請通修九朝正史從之九月除翰

楊煥然奐生
張即之生

癸卯	甲辰		乙巳	丙午
宋[illegible] 西遼十六年 金二十三年 夏十三年	宋十一年 西遼十七年 金二十四年 夏十四年	歷代名人年譜	宋十二年 西遼十八年 金二十五年 夏十五年	宋十三年 西遼十九年 金二十六年 閏七月 夏十六年
[illegible]	六月[illegible]	卷七	二月禁胡服番樂 [illegible]	[illegible]
[illegible]	[illegible]	二		[illegible]

林學士知制誥兼修國史。十二月進欽宗實錄石刻付史館。二月張曲江像贊。金三月張中偉墓表

宋十四年
西遼二十年
金二十七年
夏十七年

二月以周必大爲右丞相。施師黜知樞密院事。八月以留正參知政事。十月太上皇崩年八。十一月大理寺奏獄空。金禁女眞人學南人衣飾

務觀刻劍南詩稿二十卷於嚴州郡治。景盧知貢舉。王大通鳳山二字。金七月岱岳廟記。金八月仙蛻塋記。金九月玉皇觀牒并記

劉潛夫克莊生
梁叔子卒年六十

宋十五年
西遼二十一年

金二十八年
夏十八年

正月復置補闕拾遺官。施師黜罷。以黃洽知樞密院事。蕭燧參知政事。五月王淮罷。金建女眞太學。六月以朱熹爲兵部郎官。未上而罷。貶侍郎林栗知泉州。十二月以朱熹爲崇政殿說書。熹辭不至

務觀召還行在。九月景盧改除知太平州。六月趙師俠陽華巖詩刻。八月廣巖院碑。金十月馬鈺歸山操。金馬鈺滿庭芳詞

杜大年卒年七十四
恩平王璩卒於七月

宋十六年
西遼二十二年
金二十九年
夏十九年

正月金主雍卒。孫璟立。黃洽罷。以周必大留正爲左右丞相。王藺參知政事。葛邲同知樞密院事。蕭燧罷。二月帝傳位於太子惇。太子即位。尊帝爲壽皇聖帝。皇后爲壽成皇后。皇

周仲古卒年六十八

己酉

太后爲壽聖皇太后○三月廢補闕拾遺官○五月以王藺知樞密院事○周必大罷○知閤門事姜特立有罪免

二月務觀除實錄院檢討官○十二月務觀被劾去官歸○景盧於十二月得東坡詩文眞蹟十篇刻石太平郡齋○十二月朱子爲大學章句○友石臺記○八月太平州瑞麻贊○金三月劉處元范懌靈虛宮唱和詩○金八月竹林寺羅漢洞記○金雲寂院鐘款

庚戌

宋光宗紹熙元年
名惇○葬永崇陵
西遼二十三年
金章宗明昌元年
夏二十年

二月殿中侍御史劉光祖乞禁譏議道學者○七月以留正爲左丞相王藺爲樞密使葛邲參知政事胡晉臣簽書樞密院事○十二月王藺罷以葛邲知樞密院事胡晉臣參知政事

務觀家居冬提舉武夷沖祐觀此數年皆家居矣○金章紀三月乙亥初設應制及宏詞科○二月景盧進煥章閣學士知紹興府十二月除提舉隆興府玉隆萬壽宮○景盧撰會稽和買事宜錄七卷○正月張本中聖傳頌詩○五月顯甯廟牒○八月梅摯瘴說○金四月至聖炳靈王廟碑○金七月勝果院住持澄公銘

元裕之好問生
郝巨卿鼎臣生
耶律文正楚材生於六月十二日
郭德揚卒 十年四五

辛亥

宋二年
西遼二十四年
金二年
夏二十一年

六月務觀登鵝鼻山絕頂訪秦刻石○景盧歸鄱陽○胡安定像刻題識○九月紹興府修學記○十一月漢陰鳳皇山神碑○金五月張華碑○金八月三官公存留公據碑○金十月高曼卿修宣聖廟記○金太清宮記

壬子

宋三年
西遼二十五年
金三年
夏二十二年

四月以邱崇爲四川制置使○六月以陳騤同知樞密院事朱子始築室於建陽之考亭成章齋先生之志也○景盧仲子簽書峽州判官得古錞一於長陽縣蓋虎錞也○金武亭鐘款

陸子靜卒於十二月十四日年五十四

癸丑

宋四年
西遼二十六年
金四年
夏二十三年

三月以葛邲爲右丞相陳騤參知政事胡晉臣知樞密院事趙汝愚同知院事○金以胥特國參知政事○五月賜禮部進士陳亮及第○召浙東副總管姜特立還留正引唐憲宗召吐突承璀事乞罷相不許六月待罪六和塔上書切諫○七月以趙汝愚知樞密院事余端禮同知院事○八月金主釋奠孔子廟○十一月召留正赴都堂視事復命姜特立還浙東○十二月夏主仁孝卒子純祐立○以朱熹知潭州

景盧夷堅壬志二十卷成

吳挺卒

胡晉臣卒於六月

范至能卒年六十八

宋五年
閏九月

春葛邲罷○金購求遺書○六月壽皇崩年六十八帝稱疾不出留

羅點卒於九月

黃裳卒

西遼二十七年
金五年
夏李純祐天慶元年

正等請壽聖皇太后代行喪禮○七月留正請建太子不許遂稱疾而遁○太皇太后詔嘉王擴成服即位尊帝爲太上皇帝○以趙汝愚兼權參知政事○復召留正赴都堂視事○詔求直言○以趙汝愚爲右丞相汝愚辭遂以爲樞密使○以陳騤知樞密院事羅點簽書院事余端禮參知政事○加殿前都指揮使郭杲武康節度使知閤門事韓侂胄汝州防禦使○貶內侍陳源等十人○八月以朱熹至以爲煥章閣待制兼侍講○增置講讀官○內批罷左丞相留正○以趙汝愚爲右丞相○九月京鏜簽書樞密院事○十月內批以謝深甫爲御史中丞劉德秀爲監察御史罷右正言黃度○詔議祧廟○閏月內批罷煥章閣待制兼侍講朱熹○十一月以韓侂胄兼樞密都承旨○十二月內批罷吏部侍郎兼侍講彭龜年進韓侂胄一階○陳騤罷以余端禮知樞密院事○京鏜參知政事鄭僑同知樞密院事○以趙彥逾爲四川制置使

景廬夷堅志成辛壬癸三志合六十卷○正月朱文公寫真自題○二月山河堰落成記○休甯縣明倫堂記○金

修兗國公廟記○金偁惠眞誠庖廚頌○金三月高陵縣張公去思碑○金七月京兆府學地舍碑○金閏十月治平院山堂記

宋甯宗慶元元年 名擴○葬永茂陵
西遼二十八年
金六年
夏二年

正月以李沐爲右正言二月罷右丞相趙汝愚○四月安置太府寺丞呂祖儉於韶州○以余端禮爲右丞相鄭僑參知政事京鏜知樞密院事謝深甫簽書院事○流太學生楊宏中等六人（天下號六君子）爲○六月右正言劉德秀乞考核邪正眞僞遂罷國子司業汪逵等○加韓侂冑保甯節度使○十一月竄故相趙汝愚於永州汝愚至衡州暴卒

程泰之卒（年七十三）

○金平章政事完顏守貞罷○是年元日向若冰跋文潞公手札於月河別止之冰齋○朱子自筮得遯之同人更號遯翁○景盧撰李康時墓誌○五月蘇文忠贈文長老三詩○九月洪邁高州石屛記○八月魏潘宗伯題銘釋文跋○金二月遂州廟學記○金四月黨懷英書王荊公詩○金六月唐帝廟記○金十二月五祖堂記

宋二年
西遼二十九年
金承安元年
夏三年

正月以余端禮京鏜爲左右丞相謝深甫參知政事鄭僑知樞密院事何澹同知院事○二月以端明殿學士葉翥知貢舉翥

丙辰

與劉德秀同知貢舉奏言僞學之魁以匹夫竊人主之柄鼓動天下故文風未能丕變乞將語錄之類盡行除毀故是科取士稍涉義理者悉皆黜落六經語孟中庸大學之書爲世大禁。四月余端禮罷。以何澹參知政事葉翥簽書樞密院事罷禮部侍郎倪思。七月罷殿中侍御史黃黼。八月禁僞學之黨。十月召陳賈爲兵部侍郎。十二月削秘閣修撰朱熹官。竄處士蔡元定於道州元定無書不讀聞熹名嘗師之所著洪範解大衍詳說律呂新書行於世學者尊之曰西山先生

章紀十一月戊戌南郊大赦。三月南高峰大佛字。四月蘇唐卿竹鶴二字。集古錄跋尾四段。紹興府進士題名三碑一二慶元二年紹定五年。金明昌七年太平院幢。金明昌七年十月靈巖寺記并陰。金明昌七年十月曲周修學記

丁巳

宋三年　閏六月
西遼三十年
金二年
夏四年

正月鄭僑罷。閏月貶留正爲楊止卿果生光祿卿居之邵州。八月金胥持國有罪免九月復以持國參知政事。十二月籍僞學罷吏部侍郎黃由於是僞學逆黨得罪著籍者凡五十九人

金三月文宣王廟碑并陰。

戊午

宋四年
西遼三十一年
金三年
夏五年

金王庭筠詩刻。金七月大明禪院鐘款。金十一月嘯南老人緱山詩

正月以葉翥同知樞密院事。五月加韓侂冑少傅封豫國公。詔嚴僞學之禁。七月葉翥罷。八月以謝深甫知樞密院事許及之同知院事。以趙師𢍰爲工部侍郎。十月金造承安寶貨

景盧再上章告老進龍圖閣學士。五月英護廟勅。金黨懷英杏壇二字。金三月圓教院記。金六月捌修宣聖廟記。金十二月魏徵廟記

孫頡叔鋭生
蔡季通卒年六十四

己未

宋五年五月行統天歷
西遼三十二年
金四年
夏六年

正月奪前起居舍人彭龜年等官。二月放主管玉虛觀劉光祖於房州。九月加韓侂冑少師封平原郡王

務觀上章請老五月七日拜致仕敕。顏魯公送劉太冲敍。六月萬壽山觀音祠記。八月華嚴寺記。金正月成氏祖塋記。金五月靜應廟牒。金七月東海徐氏墓碣。金正月鏡文。金四月圓覺禪院鐘款

方巨山岳生
錢表臣卒年六十六

宋六年
閏二月
西遼三十三年
金五年

閏月以京鏜謝深甫爲左右丞相何澹知樞密院事。六月許及之罷。七月以陳自強簽書樞密院事。八月太上皇崩五年

朱文公卒於三月甲子年七十一
京鏜卒
呂祖儉卒

庚申

夏七年

卌。九月處士呂祖泰上書請誅韓侂胄詔配祖泰於欽州牢城。十月加韓侂胄太傅。三月長洲主簿廳記。金三月中岳廟圖。金九月重陽子無夢令

張師漢留孫生

辛酉

宋嘉泰元年
西遼三十四年
八月亡
金泰和元年
夏八年

七月何澹罷。以陳自強參知政事張釜簽書樞密院事。以吳曦爲興州都統制。八月張釜罷。以張巖參知政事程松同知樞密院事。奈曼襲西遼滅之殘碑
金正月綏德州學記。金二月老君庵朱雄飛詩刻。金五月谷山寺記。金鎮塔寺殘碑

壬戌

宋二年
金二年
夏九年

正月以蘇師旦兼樞密都承旨。二月弛僞學黨禁復諸貶謫者官。禁私史。十一月以陳自強知樞密院事許及之參知政事。十二月加韓侂胄太師。務觀應詔同修孝宗實錄六月入都。景盧以端明殿學士致仕。十二月姜白石得盧朝奉所藏定武舊刻禊帖。治城山東井銘。金洪福院勅牒。

王文炳磐生
王子端卒年四十七
洪文敏景盧卒年八十

[癸亥]

宋三年
金三年
夏十年

正月謝深甫罷。張巖罷。帝視太學。以袁說友參知政事傅伯壽簽書樞密院事伯壽辭不拜二月以費士寅簽書樞密院事。五月以陳自強爲右丞

劉京叔祁生
陳止齋卒於十一月年六十七
陳叔進卒年七十六

癸亥

相○以許及之知樞密院事○九月袁説友罷十月以費士寅參知政事張孝伯同知樞密院事

務觀除寶謨閣待制○務觀與玘公八札○三月十一日姜白石跋所得禊帖自謂廿餘年習蘭亭皆無入處今夕燈下觀之頗有所悟

甲子

宋四年
金四年
夏十一年

正月韓侂冑定議伐金○三月臨安大火詔百官陳時政闕失○四月許及之罷○以張孝伯參知政事錢象祖同知樞密院事○五月追封岳飛爲鄂王○八月張孝伯罷○十月以張巖參知政事十二月詔宰相兼國用使

務觀致仕以下數年皆家居是歲周彥文令畫工爲先生寫眞自爲贊○十二月唐太宗屏風書題跋三段

杜文玉瑛生
周益公卒於十一月年七十九

乙丑

宋開禧元年
金五年
夏十二年

三月費士寅罷○四月以錢象祖參知政事劉德秀簽書樞密院事○以皇甫斌知襄陽府○賞武學生華岳於建甯○五月金以布薩揆爲河南宣撫使○七月詔韓侂冑平章軍國事○以蘇師旦爲安遠節度使領閤門事○以郭倪知揚州兼山東京東招撫使○九月劉德秀罷○以邱崇爲江淮宣撫使崇辭不拜

張澤民道洽生
徐商老卒年六十八
李簡之仲器卒謚襄獻

癸亥	甲子	乙丑
	宋四年 金四年 夏十一年	宋開禧元年 金五年 夏十二年
[illegible]	[illegible]	[illegible]

元裕之赴試并州○

官縣修學記

宋二年
金六年
蒙古太祖鐵木眞稱帝
夏李安全應天元年

春以程松爲四川宣撫使吳曦副之○錢象祖罷○四月以薛叔似爲京湖宣撫使鄧友龍爲兩淮宣撫使○追奪秦檜王爵改謚謬醜○郭倪遣兵復泗州五月下詔伐金○六月鄧友龍免以邱崇爲兩淮宣撫使○七月蘇師旦有罪安置韶州○以張巖知樞密院事李璧參知政事○夏李安全廢其主純佑而自立○十一月以邱崇簽書樞密院督視江淮軍馬○十二月邱崇遣使如金議和金布薩揆還軍下蔡○薛叔似免○以畢再遇權山東京東招撫司○蒙古封特特穆津稱帝號於鄂諾河○蒙古滅奈曼

八月胡六八開井記○金三月三原后土廟記○金四月釋迦佛像記○金泰甯宮鐘款

徐威卿世隆生
楊廷秀卒於五月二日年八十

宋三年
金七年
蒙古二年
夏二年

正月罷邱崇以張巖督視江淮軍馬○以陳自強兼樞密使○二月以知建康府葉適兼江淮制置使○以方信孺爲國信所參議官如金軍○三月以楊輔爲四川宣撫使安丙副之四月召輔知建康府○程松以罪竄澧州○以錢象祖參知政事○六月安丙殺宣撫司參議官楊

楊震仲卒於正月
布薩揆卒
陳君舉卒年六十七
吳曦卒

巨源○九月賜方信孺官遣右司郎中王柟如金軍○以趙淳爲江淮制置使張巖免○十一月禮部侍郎史彌遠誅韓侂胄於玉津園詔暴侂胄罪惡於中外侂胄專政十四年威行宮省權震宇內及籍其家多乘輿服御之飾○治韓侂胄黨竄陳自強於永州斬蘇師旦流郭倪等於嶺南貶李壁等官○以衛涇簽書樞密院事○十二月罷山東京東西路招撫司○以錢象祖爲右丞相兼樞密使衛涇雷孝友參知政事史彌遠同知樞密院事林大中簽書院事

務觀封渭南縣伯刻渭南伯印○七月應星樓記○金八月長春子書谷山詩○金十一月玉泉寺勤跡檀那銘

宋嘉定元年
金八年
蒙古三年
夏三年

正月以史彌遠知樞密院事○王柟還自汴三月以韓侂胄蘇師旦首畀金○復秦檜爵諡○六月衛涇罷○七月召邱崈同知樞密院事未至卒○八月以婁機同知樞密院事樓鑰簽書院事○九月金遣使來和議成○十月以錢象祖史彌遠爲左右丞相雷孝友知樞密院事樓鑰同知院事婁機參知政事○金主璟卒衛王永濟立○贈趙汝愚太師沂國公諡忠定○十二月錢象祖罷

林大中卒於六月

丁卯

戊辰

宋嘉定元年
金八年
蒙古三年
夏三年

[illegible]

[illegible]人年譜

三

林大中[illegible]六

大成坊重整義井題記○九月甯遠記○金十一月景德寺牒

己巳

宋二年
金衛紹王大安元年
蒙古四年
夏四年

正月以樓鑰參知政事章良能同知樞密院事宇文紹節簽書院事○五月起復右丞相史彌遠○蒙古入靈州夏主安全降○八月罷四川宣撫司
二月鳳圖贊○金玉泉院牒○金三月邵公高頁容疏○金五月貞清觀牒○金八月五臺山寶鑑記

許平仲衡九月生
於金

庚午

宋三年
金二年
蒙古五年
夏皇建元年

十二月婁機罷○蒙古侵金
是年籍沒韓侂冑家閱古堂帖改爲羣玉堂帖○紹興府修學記○金六月重修孟廟碑○金七月贊法門寺眞身寶塔詩○金九月湧雲樓記○金十二月太極宮建醮記○金靈應宮鐘款

陸務觀卒年八十六

辛未

宋四年 閏九月
金三年
蒙古六年
夏李遵頊光定元年

四月金使人求和於蒙古蒙古不許○八月夏主安全卒族子遵頊立改元光定○冬金以圖克坦鎰爲右丞相赫舍哩呼沙呼爲右副元帥

黨世傑卒年七十八
婁彦發卒年七十九
錢敬直卒年十四

壬申

宋五年
金崇慶元年
蒙古七年
夏二年

三月金赫舍哩呼沙呼有罪放歸田里
金四月興國院牒

安南王李龍幹卒

宋六年
金至甯元年

三月樓鑰罷○四月以章良能參知政事○金主承濟復以赫

宇文紹節卒於正月

癸酉

金宣宗貞祐元年九月後貞祐元年
蒙古八年
夏三年

舍哩呼沙呼爲右副元帥八月呼沙呼弒永濟而立昇王珣自爲太師尚書令都元帥封澤王○冬蒙古以史天倪爲萬戶屯霸州

十月潼川靈護廟碑○金崇慶二年五月雞澤縣建文宣王廟碑并陰○金貞祐元年十一月天齊廟彌勒像頌

王勉夫卒年六十七
樓宣獻卒年七十七
呼沙呼卒

甲戌

宋七年
金二年
蒙古九年
夏四年

三月召安丙同知樞密院事未至改知潭州○金以其故主永濟之女歸蒙古四月及蒙古平○金以布薩安貞爲山東安撫使○金徙都汴梁七月蒙古復圍燕○罷金歲幣○以鄭昭先簽書樞密院事

芭蕉橋記○澉山會靈廟碑○陸務觀詩境二字并方信孺詩○金五月聖水巖玉虛觀記○金七月孔朝散老君庵詩

章良能卒於正月
圖克坦鎰卒

乙亥

宋八年
金三年
蒙古十年
夏五年

二月雷孝友罷○五月蒙古入燕○七月以鄭昭先參知政事曾從龍簽書樞密院事○十一月以真德秀爲江東轉運副使

米元章自畫像并方信孺記○紹興府新置二莊記○金三月揚振碑

楊純夫卒於三月年六十三
完顏承暉卒於五月
楊敬夫行簡卒謚文正
元世祖生於八月

丙子

宋九年
金四年
蒙古十一年
夏六年

夏金以胥鼎爲尚書左丞行省事於平陽○冬金以苗道潤爲中都經畧使

三月封靈澤麻本勅○上巳

張致卒

日任希夷跋范忠宣公告身
○金八月李演碑

丁丑

宋十年
金定興元年
蒙古十二年
夏七年

二月金尚書省請罷府州學生廩給金主不許○三月金以武仙同知眞定府事○四月金人分道入寇○六月詔伐金○八月金以河南爲中京○十二月蒙古以穆呼哩爲太師經略山南

羅池廟迎送神辭○蘇書享柳侯廟詩○十二月紹興府學撥酒稅額錢殘碑

陳功夫卒年六十五

戊寅

宋十一年
金二年
蒙古十三年
夏八年

正月以李全爲京東路總管

十一月顯靈公勅○金進士題名碑

李仲實德輝生
苗道潤卒
烏庫哩德升卒
李革卒
完顏恩徽亨卒
釋慧杲卒年五十六
納哈塔布拉圖卒
趙廉善卒年八十五

己卯

宋十二年
金三年
蒙古十四年
夏九年

春以會從龍同知樞密院事任希夷簽書院事○金人入洋州竄黃居謹於永州以聶子述爲四川制置使○三月以鄭昭先知樞密院事會從龍參知政事○四月會從龍罷○復以安丙爲四川宣撫使○金築汴京裏城○九月以賈涉主管淮東制置司節制京東河北軍馬○十二月趙方使扈再興許國孟宗政帥師分道伐金

金河北地俱歸蒙古○金敫

吳政卒於正月
姚茂公樞生
珠格高琪卒
賈瑀卒

請明公長老祝壽文䟦

庚辰

宋十三年
金四年
蒙古十五年
夏十年

三月金胥鼎致仕。金封經界使王福等九人爲郡公分河北山東地以隸之。七月金使人如蒙古求和。安丙遣兵會夏人伐金。復海州以徐晞稷知州事。九月蒙古遣使如金。十月金以時青爲濟州宣撫使封滕陽公。十一月蒙古耶律楚材進庚午元歷

金趙秉文書方丈二字

張義卿志敬生
季先卒於六月
易水公靖安民卒
倪正父卒年七十四

辛巳

宋十四年　閏十二月
金五年
蒙古十六年
夏十一年

八月任希夷罷以宣繒同知樞密院事俞應符簽書院事。十月夏人復乞會師伐金。十一月四川宣撫使安丙卒詔以崔與之爲四川制置使盡護蜀軍

○十二月鄭昭先罷。閏月遣使如蒙古

裕之登進士第不就選。四月吳縣義井題識。蘇文忠浴日亭詩。金二月神應觀牒并記。金七月僧祖昭淨土寺偈。金十月甯曲社修水記并陰

崔元甫卒於八月年八十一
趙方卒於八月
李誠之卒
東莒公燕甯卒

壬午

宋十五年
金元光元年
蒙古十七年
夏十二年

正月朔受恭膺天命寶於大慶殿大赦。進封子竑爲濟國公以貴誠爲邵州防禦使。九月以宣繒參知政事程卓同知樞密院事薛極簽書院事。十二月以李全爲保寧節度使京東河北鎮撫副使

金興定六年二月少林面壁

陸太初夢發生
貫損之少沖卒
李季章卒年六十四
愈應符卒於六月
石珪卒
完顏爾克卒

巷記○金興定六年六月中嶽正殿記○金元光元年印公開室疏

癸未

宋十六年
金二年
蒙古十八年
夏李德旺乾定元年
十二月改元乾定

五月蒙古初置達嚕噶齊監治郡縣○十二月以許國爲淮東制置使○金主珣卒子守緒立○蒙古攻夏夏主遵頊傳國於其子德旺

正月建康教授西廳記○七月休寧縣修學記○治平寺藏輪殿記○金二月達摩像贊

郝伯常經生
程卓卒於六月
賈涉卒於六月
王伯厚應麟生於七月二十九日
石應大卒
穆呼哩卒
葉正則卒年七十四

甲申

宋十七年　閏八月
金哀宗正大元年
蒙古十九年
夏二年

三月召崔與之爲禮部尚書以鄭損爲四川制置使與之辭不拜○閏月帝崩年六十五史彌遠矯詔立沂王子貴誠更名昀尊皇后爲皇太后同聽政封皇子竑爲濟王出居湖州○九月詔傅伯成爲顯謨閣學士楊簡爲寶謨閣學士辭不至○以眞德秀直學士院魏了翁爲起居郎○十月夏及金平○十一月以葛洪同簽書樞密院事

馬端臨文獻通考所載至嘉定末年○裕之以趙楊雷薦應詞科○二月新羅寺鐘款○三月鄂州北榭記○大悲心咒○金三月程震碑○金七月梵文唵字贊

胡仲虎炳生
董彥材文用生
程威卿卒於三月
年四十四
袁和叔卒年八十
韓子仲卒年六十五

宋理宗寶慶元年名昀○葬永穆陵

正月湖州潘壬起兵謀立濟王竑竑討平之史彌遠矯詔殺竑追貶爲巴陵郡公○二月李全

楊簡卒年八十六
史天倪卒
彭義斌卒

金二年
蒙古二十年
夏三年

作亂焚楚州許國走死以徐晞稷爲制置使撫之。四月太后以疾罷聽政。六月加史彌遠太師封魏國公。秋竄大理評事胡夢昱於象州。贈張九成官爵錄程頤後。以梁成大爲監察御史龍直學士院真德秀金部員外郎洪咨夔。十一月以薛極參知政事葛洪簽書樞密院事。以李知孝爲右正言。貶魏了翁官居之靖州罷真德秀祠祿了翁至靖湖湘江浙之士不遠千里負書從學乃著九經要義百卷訂定精密先儒所未有也德秀既歸浦城修讀書記語門人曰此人君爲治之門如有用我者執此以往

裕之權國史院編修旋得告歸松山。吳道子畫老子像贊。七月修南海廟記、金全真教祖碑。金十二月京兆府學教養碑。金十二月唐太宗贊三藏羅什詩

宋二年
金三年
蒙古二十一年
夏四年

正月贈陸九齡等官賜諡錄張栻呂祖謙陸九淵後九齡諡文達九淵九齡弟生而穎異與其兄自相師友和而不同學者稱爲象山先生諡文安其次兄九韶亦學問淵粹人稱爲梭山先生九淵之門人袁燮楊簡沈煥舒璘燮端粹專靜爲國子祭酒簡篤學力行著禮書行於時煥

謝疊山枋得生於二月二十四日亥時
陳子正大中生
衛涇卒於八月

[illegible]

丙戌

八品高明不苟自恕乾道中爲太學錄終於舒州判官璘乾道中爲椒州教授作詩禮講解仕終宜州判官。二月建昭勳崇德閣。七月夏主德旺以憂卒弟子晛立。金置益政院說書。徐晞稷罷以劉琸爲淮東制置使

裕之爲鎮平令。三月重修天慶觀記。金劉君士碣。金七月趙閑閑草堂寺詩

丁亥

宋三年
金四年
蒙古二十二年
夏李晛元年
六月爲蒙古滅亡
夏自元昊至是凡一百九十五年

正月以姚翀爲淮東制置使。贈朱熹太師信國公。蒙古遣使責歲幣於金。六月金遣使請和於蒙古。蒙古特穆津滅夏以夏主晛歸。十二月金封李全爲淮南王全不受。蒙古特穆津死於六盤山年六十六少子圖壘監國。蒙古入西和州知州事陳寅死之

裕之爲內鄉令。三月高麗寺牒。金八月劉從益惠政碑。金唐太宗慈德寺詩

牟獻之巘生於正月十一日
方萬里回生於五月十一日
王仲謀惲生
邱通密卒年八十
張林卒
時青卒

戊子

宋紹定元年
金五年
蒙古太祖少子拖雷監國一年

三月金將完顏陳和尚大敗蒙古兵於大昌原。十二月以薛拯知樞密院事袁韶同知樞密院事鄭清之簽書院事葛洪參知政事

十月裕之長壽新居成。金二月濟瀆靈應記

楊之美卒諡文憲年五十九
趙行之卒年七十五

宋二年
金六年

八月蒙古烏格台立。十二月蒙古始定算賦

郭彥高昂生

己丑

蒙古太宗烏格台
元年

裕之生子阿千。句容五瑞
圖題記。金三月鄭居澄預
作誌

庚寅

宋三年
金七年
蒙古二年

三月復起趙范趙葵節制鎮江
滁州軍馬。蒙古立十路課稅
所。五月以李全爲彰化保康
節度使京東鎮撫使全不受命
遂罷。知揚州翟朝宗。十月以
趙善湘爲江淮制置使。十二
月以鄭清之參知政事喬行簡
同簽書樞密院事。詔史彌遠
十日一赴都堂治事。李全忠
寇揚州
裕之閑居。正月免浮財物
力指揮。三月忠清精德碑
。五月重刻郙閣頌記後。

胡三省生於四月
二日丑時
蕭維斗鄭生
王仲儀應鳳生
蔡仲默卒年六十四

辛卯

宋四年
金八年
蒙古三年

金改建題名碑。金九月王
重陽太清宮詩
正月趙范趙葵大敗李全於揚
州城下全走死新塘。四月喬
行簡簽書樞密院事。八月蒙
古主以耶律楚材爲中書令。
十月蜀口諸郡陷於蒙古
裕之以四月官南陽令旋赴
召入京。嚴邑社稷壇記

康善甫希憲生
蘇巴爾罕卒

壬辰

宋五年
閏九月
金天興元年
正月改元開興
四月改元天興
蒙古四年

正月以史嵩之爲京湖制置使
知襄陽府。二月金復以完顏
薩布爲左丞相。三月蒙古圍
金汴京金遣曹王額爾克質於
蒙古請和四月蒙古退軍河洛
。金命其平章政事完顏拜牲
致仕。七月以陳貴誼同簽書

完顏陳和尚卒於
正月
金吉父履祥生
陳濟民思濟生
周公謹密生於富
春縣齋
劉須溪生

樞密院事○十月金以汪世顯爲鞏昌便宜總帥○蒙古圍壘死○十二月蒙古遣使來議伐金許之○金主守緒出奔河北蒙古蘇布特復圍汴裕之爲東曹都事

趙周臣卒於五月十二日年七十四

宋六年
金二年
蒙古五年

六月蒙古以孔元措襲封衍聖公○九月金人來乞糧不許○十月以史彌遠爲太師左丞相鄭清之爲右丞相並兼樞密使薛極爲樞密使喬行簡陳貴誼參知政事○封史彌遠爲會稽郡王奉朝請彌遠尋卒○十一月刑部侍郎梁成大等有罪免○詔改元○曾從龍宣繒罷○以洪咨夔王遂爲監察御史○

完顏拜牲卒
李蹊卒
齊克紳卒
完顏薩布卒
強伸卒於六月
趙思文卒
張正叔邦憲卒

十二月薛極免

裕之在聊城撰中州集○正月金鄭王崔立舉兵反入尚書省令官削髮送款元軍以元好問爲左右司員外郎刼草功德碑○龍壽寺復田記

宋端平元年
金三年
正月亡凡九世
一百二十年
蒙古六年

正月金主守緒傳位於其宗室承麟孟珙以蒙古兵入蔡州守緒及其尚書右丞完顏呼沙呼死之承麟爲亂兵所殺金亡○三月以賈貴妃弟似道爲藉田令○四月獻金俘於太廟○五月賜黃幹李燔李道傳等謚錄其子○六月以曾從龍參知政事喬行簡知樞密院事鄭性之簽書院事○八月京湖制置使

劉會孟辰翁生
武仙卒
李伯淵卒
陳貴誼卒於十月
穆延烏登卒
完顏用安卒

乙未

宋二年
蒙古七年

史嵩之免。九月召真德秀爲翰林學士。魏了翁直學士院。冬召真德秀進講大學衍義。十二月蒙古使王檝來

裕之拘聊城

正月以程芾爲蒙古通好使。二月蒙古城和林。三月以真德秀參知政事。陳卓同簽書樞密院事。五月德秀卒（年五十八 諡文忠）。六月以鄭清之喬行簡爲左右丞相兼樞密使。曾從龍知樞密院事。鄭性之同知院事。陳卓簽書院事。葛洪免。召崔與之參知政事不至。十二月魏了翁同簽書樞密院事督視江淮京湖軍馬陛辭御書唐嚴武詩及鶴山書院四大字賜之。曾從龍卒。以余嶸同簽書樞密院事

裕之過濟南

程介甫思廉生
高稼卒

丙申

宋三年
蒙古八年

二月蒙古初行交鈔。召魏了翁還簽書樞密院事固辭不拜。以陳韡爲松江制置使。以史嵩之爲淮西制置使。四月魏了翁罷。下詔罪己。五月以趙葵爲淮東制置使。七月陳卓罷以鄭性之參知政事。李鳴復簽書樞密院事。八月趙范有罪免。九月有事於明堂大雨震電鄭清之喬行簡免。召崔與之爲右丞相兼樞密使復辭不至。十月蒙古陷文州

李復明卒於正月
釋廣裕生
文信國公文山天祥生
曹友聞卒於九月

知州事劉銳等死之○十一月以喬行簡爲左丞相兼樞密使
三月裕之遊泰山○正月太學靈通廟牒

丁酉

宋嘉熙元年
蒙古九年

正月以李埴同知樞密院事宣撫四川○二月以鄭性之知樞密院事鄭應龍簽書院事李宗勉同簽書院事○李鳴復罷○詔經筵進講朱熹通鑑綱目○蒙古始給官府符印定驛令○六月鄭應龍罷○八月以李鳴復參知政事李宗勉簽書樞密院事○蒙古校儒士於諸路

裕之居冠氏○建安社稷壇記○三月報國寺記

魏文靖了翁卒於三月年六十
姚端甫燧生
張洽卒年七十七

戊戌

宋二年
蒙古十年

正月以余天錫同簽書樞密院事○二月以史嵩之參知政事督視京湖江西軍馬置司鄂州○四月以李鳴復知樞密院事余天錫簽書院事李宗勉參知政事○七月以趙以夫同知樞密院事○九月以孟珙爲京湖制置使○蒙古建太極書院於燕京

裕之在山陽○蒙古褒崇祖廟記

胡汲仲長孺生
李埴卒於六月
陸秀夫君實生於十月八日寅時

己亥

宋三年
蒙古十一年

正月以喬行簡爲太傅平章軍國重事李宗勉爲左丞相兼樞密使史嵩之爲右丞相兼樞密使督視江淮四川京湖軍馬○以余天錫參知政事游侶簽書樞密院事○八月以游侶參知

鄭憶翁思肖生
梁飛卿天翔生
丁黼卒
劉希文卒於五月年六十
崔與之卒於十二

蒙古十三年

頤封爵與朱熹並從祀孔子廟
庭黜王安石從祀○三月趙以
夫罷○八月求遺書○十月蒙
古以伊羅斡齊行省事于燕京
○十一月蒙古主烏格台卒年五
十六第六后尼瑪察氏稱制○成
都將汪世顯叛以城降蒙古制
置使陳隆之死之○十二月蒙
古使伊埒默色等來至淮上守
將囚之
裕之居順天○王伯厚登進
士○正月理宗道統贊○八
月金祝靈蕭廟碑○九月張
卽之息心銘

廟余天錫卒於十二月

辛丑

宋二年
蒙古后馬真氏稱

正月游佀罷○以范鍾知樞密
院事趙葵同知院事別之傑簽

庚子

政事許應龍簽書樞密院事林略同簽書院事○十月許應龍林略罷○十一月以范鍾簽書樞密院事○十二月以陳埙爲國子司業

月謚清獻

宋四年 閏十二月
蒙古十二年

二月以孟珙爲四川宣撫使珙遂大興屯田○四月召史嵩之還○以杜杲爲沿江制置使○蒙古復使王檝來○九月喬行簡罷○閏月李宗勉卒以游侣知樞密院事徐榮叟簽書院事范鍾參知政事

裕之自山東還鄉○王伯厚試國子監○蒙古九月史氏慶源碑

方鳳生
陳剛中孚生
劉起潛生
王檝卒
嚴實卒

宋淳祐元年

正月詔加周敦頤張載程顥程

喬壽朋卒 十八 十六

壬寅

一年

書院事○以徐榮叟參知政事○蒙古燕京行省郎中姚樞棄官隱於蘇門蒙古牙剌瓦赤在燕惟事貨賂以樞爲幕長分及之樞一切拒絕因辭職去携家往輝州之蘇門作家廟別爲室奉孔子及宋儒周程張邵司馬六君子像刊小學四書并諸經傳注以惠學者讀書鳴琴若將終身○五月趙葵罷○六月徐榮叟罷○以別之傑同知樞密院事高定子簽書院事杜範同簽書院事定子尋罷○十二月別之傑罷

癸卯

宋三年
蒙古二年

二月以余玠爲四川制置使○
蒙古以汪世顯爲秦鞏諸州總
帥寺卒○余玠城釣魚山徙合
州治之
裕之自燕都南歸由新興杜
道過玄州

李微之卒年七十八
史進道卒於六月
年六十五

甲辰

宋四年
蒙古三年

正月以李鳴復參知政事杜範同知樞密院事劉伯正簽書院事範固辭遂與鳴復俱罷○三月以金淵簽書樞密院事○六月賜禮部進士留夢炎及第○以呂文德爲淮西招撫使○九月詔起復史嵩之將作監徐元杰太學生黃愷伯等上書論之不報○十月以劉漢弼爲左司諫○十一月詔史嵩之終喪○金淵等有罪免○十二月以范鍾杜範爲左右丞相並兼樞密

戴帥初表元生
陳尚德普生
耶律文正卒於五月年五十五

使○以劉伯正參知政事游佀知樞密院事趙葵同知院事○以孟珙兼知江陵府

裕之過洛陽○白雲山圓通殿記○十一月慈聖院記

乙巳

宋五年
蒙古四年

正月劉伯正罷以李性傳簽書樞密院事○六月工部侍郎徐元杰暴卒○十一月以陳韡同簽書樞密院事○十二月以游佀爲右丞相兼樞密使趙葵知樞密院事李性傳同知院事性傳尋罷

裕之游崞山○四月福州普應廟勅○蒙古五月史進道碑

杜範卒於四月

丙午

宋六年
蒙古定宗庫裕克元年

二月范鍾罷○六月以陳韡參知政事○七月蒙古主庫裕克立○九月甯武節度使漢東公孟珙卒諡忠襄以賈似道爲京湖制置使○十二月詔史嵩之致仕

裕之居鎮州○加封太學土地勅牒○八月九嶷山銘○蒙古四月光化寺記

丁未

宋七年
蒙古二年

四月以王伯大簽書樞密院事吳潛同簽書院事○游佀罷○以鄭清之爲太傅右丞相兼樞密使○以趙葵爲樞密使督視江淮京湖軍馬陳韡知樞密院事湖南安撫大使○七月吳潛罷以別之傑參知政事鄭寀同簽書樞密院事八月鄭寀罷

牟伯成應龍生

裕之居忻州○帝王紹運圖天文地理二圖○蒙古崔道演傳

戊申

宋八年
蒙古定宗妃后抱幼出子失烈門聽政

三月蒙古主庫裕克卒（十年四十三）后烏拉海額實稱制諸王大臣皆不服○七月以王伯大參知政事應䌛同知樞密院事謝方叔簽書院事史宅之同簽書院事伯大尋罷○十月別之傑罷
裕之過甯晉○九月紹興府學整復貢田牓記○蒙古洞真觀碑

白廷玉珽生
張師漢留孫生

己酉

宋九年 閏二月
蒙古二年

閏月以鄭清之為太師左丞相趙葵為右丞相並兼樞密使應䌛謝方叔參知政事史宅之同知樞密院事清之辭免太師許之○五月陳韡罷○九月嚴中外上書之禁○十一月應䌛罷○十二月以吳潛同知樞密院事徐清叟簽書院事
徐霖爛柯山詩○十二月吳履齋存悔齋箴

吳文正公澄生（於正月十九日申時）
劉夢吉因生於閏月九日亥時
程文海鉅夫生
謝皐羽翺生
史宅之卒於十二月

庚戌

宋十年
蒙古三年

三月以賈似道為兩淮制置大使李曾伯為京湖制置使○趙葵罷
裕之自鎮州還忻州○十月吳縣義井題識

劉京叔卒（十年四十八）

辛亥

宋十一年
蒙古憲宗莽賚扣元年

三月以謝方叔知樞密院事徐清叟同知院事吳潛參知政事○六月蒙古主莽賚扣立○冬以謝方叔為左丞相吳潛為右丞相兼樞密使○以徐清叟參

游似卒
鄭清之卒於十一月

歷代名人年譜

戊申	己酉	庚戌	辛亥
宋八年 蒙古定宗后稱制 由出于失烈門 聽政	宋九年 蒙古閏二月	宋十年 蒙古三年	宋十一年 蒙古憲宗蒙哥元年
三月[illegible] 不[illegible] 事[illegible] 伯[illegible]書院 [illegible]大學 真[illegible]	閏[illegible]月以[illegible] 知樞密院 [illegible]	之[illegible] ○外[illegible] 事○十二月 [illegible]	三月[illegible] 使[illegible] [illegible] 以○[illegible] ○[illegible]

知政事董槐簽書樞密院事○蒙古號西域僧納摩爲國師裕之來太原

壬子

宋十二年
蒙古二年

蒙古城沔州○十月以徐清叟參知政事董槐同知樞密院事○十一月吳潛罷○詔求直言裕之居鎮陽○八月長明寺心經并大士像○蒙古二月平雲南磨崖碑

張疇齋仲壽生
陳壽翁櫟生

癸丑

宋寶祐元年
蒙古三年

蒙古城利州○五月召余玠還六月以余晦爲四川宣諭使○七月資政殿學士余玠暴卒○八月以余晦爲四川制置使裕之以行臺召○九月寶祐橋題字○十一月理宗府學二大字

熊位辛鉌生

甲寅

宋二年 閏六月
蒙古四年

正月蒙古呼必賚以姚樞爲京兆勸農使○四月以徐清叟知樞密院事董槐參知政事○六月詔籍余玠家財○加賈似道同知樞密院事○召余晦還閏月以李曾伯爲四川宣撫使置夔州○九月殺利州西路安撫使王惟忠○十一月蒙古呼必賚以廉希憲爲京兆宣撫使裕之自汴北歸○十二月廿八日趙子固自書詩卷○蒙古善應儲祥宮聖旨

趙文敏子昂孟頫生於九月九日

宋三年
蒙古五年

正月迭雷罷元夕張燈○二月治全子才等喪師罪罷其祠祿○蒙古呼必賚徵許衡爲京兆提學○三月以王埜簽書樞密

曹士開伯啟生
李道復孟生
楊煥然卒於九月諡文憲年七十

壬子	癸丑	甲寅
宋十二年 蒙古二年	宋…三年 蒙古…年	宋二年 蒙古四年 閏六月 ／ 宋三年 蒙古五年

[illegible]

僑題字

宋五年
蒙古七年

正月加賈似道知樞密院事召吳淵參知政事淵未至卒○六月馬天驥罷○八月以張磻參知政事丁大全同知樞密院事○蒙古主莽賚扣分道入寇以少弟額將布格守和林○十月張磻卒以林存簽書樞密院事

七月裕之將西歸卒於獲鹿（年八十六）○蒙古太清宮令旨

釋德海生於二月

鮮于伯機樞生

宋六年
蒙古八年

正月以丁大全參知政事○二月以馬光祖爲京湖制置使○四月程元鳳罷以丁大全爲右丞相兼樞密使○以林存知樞密院事朱熠簽書院事○九月蒙古主入劍門十一月陷鵝頂堡諸城○林存罷○以賈似道爲樞密使兩淮宣撫使○以朱熠同知樞密院事○蒙古將李璮陷海州漣水軍賈似道上書請罪不問

伯厚通判台州

鄧善之文原生

歷代名人年譜　卷七　南宋　理宗

戊午

宋開慶元年
閏十一月
蒙古九年

正月以賈似道爲京湖南北四川宣撫大使○三月以呂文德爲四川制置副使○六月以朱熠參知政事饒虎臣同知樞密院事○七月蒙古主莽賚扣卒於合州城下（年五十餘）眾解圍北還○八月蒙古忽必烈將兵渡淮九月渡江遂圍鄂州尋陷臨江知軍事陳元桂死之蒙古入瑞州○以戴慶炣簽書樞密院

張勝卒

乙卯

宋四年
蒙古六年

院事。以宦者董宋臣幹辦佑聖觀。六月以丁大全為右司諫。罷監察御史洪天錫。七月謝方叔徐清叟免。西南夷盡降蒙古。八月王埜罷。以董槐為右丞相兼樞密使程元鳳簽書樞密院事蔡抗同簽書院事

裕之往鎮陽。伯厚服除調揚州州學教授。正月虞忠肅公祠牒

三月以蒲擇之為四川制置使置司重慶。四月以程元鳳參知政事蔡抗同知樞密院事。加賈似道參知政事。五月賜禮部進士文天祥及第。六月

釋虛照生

丙辰

丁大全逐右丞相董槐詔罷槐提舉洞霄宮竄太學生陳宜中等於遠州。七月以程元鳳為右丞相兼樞密使蔡抗參知政事張磻簽書樞密院事。九月監察御史朱焴乞汰冗吏不報。蒙古城開平府。十一月以張磻同知樞密院事丁大全簽書院事馬天驥同簽書院事時閻妃怙寵大全天驥用事有無名子書八字於朝門曰閻馬丁當國勢將亡。蔡抗罷。十二月罷知嚴州吳槩

裕之居西山鹿泉。二月伯厚試博學宏詞科中選。九月太學土地動。十月八字

事。十月丁大全有罪免。以吳潛爲左丞相兼樞密使。即拜賈似道爲右丞相兼樞密使。軍漢陽以援鄂。內侍董宋臣請遷都不果行。以趙葵爲江東西宣撫使。以朱熠知樞密院事。閏月以呂文德知鄂州。向士璧知潭州。賈似道乞和於蒙古呼必賚引還鄂州圍解

王仲儀中博學宏詞科。八月趙子固以半萬券得禊帖於雪上即白石得盧翻奉本九月廿五日自雪歸覆舟於昇山下幾殞命禊帖畧滲濕不壞投小寺烘焙之世所謂落水蘭亭是也

宋景定元年
蒙古世祖中統元年

呼必賚。葬起輦谷谷在漢北不加築爲陵諸帝皆從葬於是

六

三月賈似道奏諸路大捷召似道還朝似道匿議和稱臣納幣之事上表言諸路大捷帝以似道有再造功遂召入朝。出內侍董宋臣於安吉州。四月蒙古主呼必賚立。吳潛罷。加賈似道少師封衛國公。蒙古初定官制。以饒虎臣參知政事戴慶炣同知樞密院事皮龍榮簽書院事。蒙古以廉希憲爲陝西四川宣撫使。蒙古以王文統爲中書平章政事張文謙爲左丞五月文謙罷。饒虎臣罷。戴慶炣卒以沈炎同簽書樞密院事。蒙古以王鶚爲翰林學士承旨。六月蒙古撤

宋子虛无生
黃楚望澤生
衛志隱生
釋義瓊生

宋二年
蒙古二年

江上軍以史天澤爲江淮經畧使。七月蒙古使翰林侍讀學士郝經求修好賈似道幽之眞州。以賈似道兼太子太師。十二月蒙古行交鈔法。十二月蒙古號西僧帕克斯巴爲國師

八月忠顯廟牒。蒙古五月太淸宮執照。蒙古八月祭濟瀆記

正月詔皇太子釋奠孔子加張栻呂祖謙伯爵並從祀。二月朱熠罷。四月以皮龍榮參知政事沈炎同知樞密院事何夢然簽書院事。以俞興爲四川制置使。蒙古聽儒士被俘者贖爲民。五月蒙古以史天澤爲中書右丞相。蒙古以姚樞爲太子太師竇默爲太子太傅許衡爲太子太保皆辭不拜。七月竄吳潛於循州。八月俞興罷以呂文德兼四川宣撫使。以江萬里同簽書樞密院事。賈似道殺湖南制置副使向士璧。十月以何夢然同知樞密院事。沈炎罷。十二月以何夢然參知政事馬光祖知樞密院事兼知臨安府。江萬里罷

蒙古四月太淸宮聖旨。蒙古五月文宣王廟記。蒙古九月周慶安祠記。蒙古十月釋迦院記

陳可大淵生
蘇子甯志甯生
陸行正正生
釋顯和生
許彪孫卒於六月
周慶安卒年八

壬戌

宋三年
蒙古三年

正月賜賈似道第宅家廟。蒙古修孔子廟。二月皮龍榮罷。蒙古李璮以京東來歸詔封為齊郡王。三月蒙古殺王文統。以孫附鳳簽書樞密院事。五月馬光祖罷。故相吳潛暴卒於循州。以楊棟同簽書樞密院事。八月蒙古陷濟南李璮死之。蒙古以董文炳為山東經略使。九月蒙古以阿珠為征南都元帥。冬以楊棟簽書樞密院事葉夢鼎同簽書院事。竄丁大全於新州道死

八月張鎡捨宅誓願文。九月廣壽慧雲寺記。十月紹興府小學田記并跋

方巨山卒年六十六

癸亥

宋四年
蒙古四年

正月蒙古以姚樞為中書左丞。二月詔買公田置官領之。能翰林學士徐經孫。三月以何夢然知樞密院事楊棟同知院事葉夢鼎簽書院事。蒙古始建太廟。六月論買公田功進知臨安府劉良貴等官。七月置榷場於樊城。蒙古以廉希憲為中書平章政事商挺參知政事

三月劉錡天曹猛將勅。烏鵲橋街義井題字

方叔淵生
張即之卒年七十八

宋五年
蒙古至元元年

三月增公田官於平江諸路。何夢然罷。五月以楊棟參知政事葉夢鼎同知樞密院事姚希得同簽書院事。七月彗星

壬戌

蒙古三年
宋三年

癸亥

蒙古四年
宋四年

蒙古至元元年
宋五年

甲子

出中外上書乞罷公田賈似道力求去位詔勉留之○黜配臨安府學生葉李等於遠州○楊棟免○八月蒙古以劉秉忠爲太保參領中書省事○蒙古入都於燕○九月建甯府教授謝枋得考試宣城及建康摘賈似道政事爲問詔竄枋得於興國軍○行經界推排法○作銀關○十月帝崩年六十太子禥即位○十一月蒙古以阿哈瑪特爲中書平章政事

伯厚遷著作郎兼崇政殿說書○景定鐘款○二月慈雲院部據府帖○蒙古中統五年楊奐碑并陰○蒙古中統五年濟瀆投龍簡記

乙丑

宋度宗咸淳元年 名禥○葬永紹陵 閏五月 蒙古二年

二月以姚希得參知政事江萬里同知樞密院事王爚簽書院事○四月加賈似道太師封魏國公○閏月以江萬里參知政事王爚同知樞密院事馬廷鸞簽書院事○八月蒙古以安圖爲中書右丞相○十月命許衡議省事衡辭不許○十一月以留夢炎簽書樞密院事

閏五月伯厚遷將作監兼禮部郎官權直學士院○蒙古燕居堂碑○蒙古華岳廟殘碑

何養正中生

宋二年 蒙古三年

正月以季可爲監察御史○江萬里罷○二月蒙古以宋子貞

干道壽文傳生 釋道雲生

丙寅　丁卯　戊

爲中書平章政事。四月姚希
得王爚罷。五月以王爚參知
政事留夢炎同知樞密院事包
恢簽書院事。七月蒙古以張
德輝參議中書省事

秦少游踏莎行詞

宋三年
蒙古四年

正月帝釋菜於孔子以顏回曾
參孔伋孟軻配列邵雍司馬光
於從祀又升顓孫師於十哲追
封雍新安伯。蒙古許衡謝病
還懷孟。二月以賈似道平章
軍國重事三日一朝治事都堂
。三月程元鳳爲右丞相兼樞
密使葉夢鼎參知政事王爚知
樞密院事常挺簽書院事元鳳
爚尋罷。六月以馬光祖參知
政事。秋以葉夢鼎爲右丞相
兼樞密使固辭不許。以葉夢
炎爲樞密使常挺同知樞密院
事十一月以挺參知政事馬廷
鸞同知院事。十二月以呂文
煥知襄陽府

伯長柟生

歷代名人年譜

十一月伯厚遷起居舍人。
咸淳丁卯同班記。蒙古正
月淄川講堂詩。蒙古十月
默庵記

宋四年
蒙古五年

正月留夢炎罷。四月尊觀文
殿大學士惠國公謝方叔官爵
。九月蒙古阿朮劉整圍襄陽
。十一月行義役法。蒙古以
和爾果斯爲起居注。十二月
包恢罷

劉桂翁詵生
王珍生
常挺卒
張澤[illegible]卒年[illegible]

杉瀆橋南井闌題記並亭泉詩。蒙古正月會仙觀記。蒙古妙嚴院記。蒙古彰德路廳壁記。蒙古六月貞君觀碑

宋五年
蒙古六年

正月以李庭芝為兩淮制置大使。葉夢鼎上疏乞致仕不待報而去。以馬廷鸞江萬里參知政事。二月蒙古行新字加號西僧帕克斯巴為大寶法王。三月蒙古軍圍樊遂城鹿門。以江萬里馬廷鸞為左右丞相兼樞密使馬光祖知樞密院事。五月光祖罷。十二月呂文德卒以范文虎為殿前副都指揮使

黃子久公望生
安敬仲熙生
元復初明善生
貢仲章奎生
劉濳夫卒年八十三
楊正卿卒年七十三

伯厚以秘閣修撰主管建康府崇禧觀。咸淳己巳同銓題名。十一月大鑒禪師殿記。蒙古正月道德經序。蒙古十月李璟碑

宋六年
蒙古七年

正月以李庭芝為京湖制置使督師援襄樊。起復孫虎臣為淮東安撫副使。江萬里罷。蒙古廉希憲罷。以陳宗禮簽書樞密院事趙順孫同簽書院事。蒙古立尚書省以阿哈瑪特平章政事。三月蒙古以許衡為中書左丞衡固辭不許。四月罷直學士院文天祥。八月詔賈佀道十日一朝入朝不拜時襄樊圍急佀道日坐葛嶺

潘聲甫音生
許益之謙生
柳道傳貫生於八月一日
張義卿卒年五十一
陳宗禮卒於十二月

庚午

起樓閣亭榭作半閒堂延羽流
塑巳像於其中取宮人葉氏及
娼尼有美色者爲妾日肆淫樂
嘗與羣妾踞地鬥蟋蟀又酷嗜
寶玩建多寶閣一日一登玩有
言邊事者輒加貶斥一日帝問
曰襄陽之圍巳三年矣奈何似
道對曰北兵巳退陛下何從得
此帝曰適有女嬪言之似道詰
其人誣以他事賜死由是邊事
雖日急無敢言者○十一月蒙
古城萬山
伯厚以秘閣修撰知徽州刻
羅端良爾雅翼於郡齋○十
二月嶽應廟牒

辛未

宋七年
蒙古八年改國號元

五月蒙古分道入寇嘉定諸路
○蒙古以許衡爲集賢殿大學
士兼國子祭酒○九月蒙古弛
四川茶鹽之禁○十一月蒙古
改國號曰元取易乾元之義從
太保劉秉忠請也○十二月初
置士籍
七月伯厚召爲秘書監十一
月遷起居郎○元七月太極
觀記○元八月大字蘭亭敘

楊仲宏生
薛庸齋元卒於九
月謚文靖

壬申

宋八年
元九年

正月元罷尚書省○五月李庭
芝使統制張順張貴將兵救襄
陽與元軍戰敗績皆死之○六
月寘資政殿大學士皮龍榮於
衡州道卒○以章鑑同簽書樞
密院事○九月有事於明堂大
雨帝還宮賈似道去位部由昔

虞文靖伯生集生
曹雲西知白生
范亭父禕生

癸酉

宋九年
元十年

嬪胡氏爲尼。似道乃還。十一月馬廷鸞罷。十二月召葉夢鼎入相固辭不至
六月咸淳壬申同銓題名。
焦山詩。元九月張志敬碑

正月樊城陷守將范順天牛富死之。二月呂文煥以襄陽叛降元。三月置機速房於中書。李庭芝免四月以汪立信爲京湖制置使趙溍爲沿江制置使。六月降范文虎一官職任如故貸命與予大忠於循州。七月元許衡乞罷許之。九月以章鑑簽書樞密院事陳宜中同簽書院事。十一月以李庭芝夏貴爲淮東西制置使陳奕爲沿江制置使
伯厚撰周易鄭注成

杜文玉卒年七十
王禕卒

甲戌

宋十年
元十一年

正月賈似道母死詔以鹵簿葬之遂起復似道入朝。元以伯顏爲中書左丞。二月趙順孫罷。七月帝崩年三十五子嘉國公㬎即位太后臨朝稱制。詔賈似道獨班起居。罷京湖制置使汪立信。以朱禩孫爲京湖四川宣撫使。八月元以博爾懽爲中書右丞。十月元伯顏攻郢州張世傑力戰禦之伯顏遂潛兵入漢居沙洋陷新郢守將邊居誼死之。以章鑑同知樞密院事陳宜中簽書院事。十一月以陸秀夫參議淮東制

揭曼碩傒斯生
王魯齋柏卒
劉秉忠卒諡文貞

歷代名人年譜

宋十年
元十一年

正月賈似道母死[illegible]

[illegible]

劉　王　楊
[illegible]

宋九年
元十年

[illegible]

王　杜
[illegible]

丙子

夜遁○吳堅文天祥如元軍伯顏執天祥遣堅還○以家鉉翁簽書樞密院事賈餘慶同簽書院事○二月伯顏遣人入臨安封府庫收圖籍符印○以賈餘慶為右丞相兼樞密使劉岊同簽書樞密院事與吳堅謝堂家鉉翁並充祈請使如元謝堂逃歸○元人以文天祥北去○浙江湖三日不至○元人索宮女內侍及諸樂官○夏貴以淮西叛降元知鎮巢軍洪福死之○三月元伯顏入臨安以帝及皇太后全氏福王與芮等北去○文天祥自鎮江亡入真州遂浮海如溫州○元以阿嚕罕董文

李世達卒
趙由𢹂卒
劉黼卒
熊飛卒於十月
秀王與檡卒於十一月

炳行省事於臨安○閏月陳宜中等奉益王昰為天下兵馬都元帥廣王昺副之開府福州起兵興復○五月朔益王即位於福州遂上帝尊號尊度宗淑妃楊氏為皇太妃同聽政○以陳宜中為左丞相兼樞密使都督諸路軍馬陳文龍劉黼參知政事張世傑為樞密副使陸秀夫直學士院蘇劉義主管殿前司○召李庭芝為右丞相姜才為保康軍承宣使○詔江西制置使趙溍招諭使吳浚等分道出師興復帝室○文天祥至自溫州以為樞密使同都督諸路軍馬○元以伯顏同知樞密院事

宋三年
宋帝昺祥興元年
五月改元祥興
元十五年

歷代名人年譜

宋二年
二月爲元所滅
右宋十八帝三
百二十年
元十六年

以陸秀夫同簽書樞密院事○十一月元破興化軍陳瓚死之○十一月元將劉深襲淺灣帝奔井澳○元將劉深襲井澳○十二月帝有疾○元劉深襲井澳帝奔謝女峽陳宜中逃之占城

元王磐神道碑○元正月京兆路府學公據及重立諸碑記○元三月媧皇廟記○元十月儒生頌德碑

正月元軍入重慶張珏死之西川州縣皆陷○元定武官承襲之制○二月元以許衡領太史院事○文天祥收兵復出麗江浦○帝遷碙州○曾淵子至自雷州以爲參知政事廣西宣諭使○四月帝崩年十一衛王昺即位○六月帝遷新會之厓山○七月元汰江南冗官○八月加文天祥少保信國公張世傑越國公○十一月元張宏範襲執文天祥於五坡嶺

錢翼之良右生
王止善艮生
王世昌卒
張烈良卒
王明卒

二月張世傑與元張宏範戰於厓山世傑兵潰陸秀夫負帝赴海死○歲○年世傑復收兵至海陵山舟覆而死宋亡○十月文天祥至燕不屈元人囚之

元七月開澇水記

孛术子翬魯翀生
馬伯庸祖常生
西僧帕克斯巴卒

○龍圖學士院陸秀夫○元主呼必賚廢德祐帝爲瀛國公○七月文天祥開府南劍州經畧江西○李庭芝姜才赴召至泰州揚州守將朱煥泰州裨將孫貴等皆降於元庭芝才死之淮東盡陷○八月元軍入眞州苗再成死之○以王積翁爲福建招捕使○九月元軍分道寇閩廣○十月文天祥師次於汀州○十一月陳宜中張世傑奉帝航海○十二月元入入興化軍知軍事陳文龍死之○元阿爾哈雅破靜江都統馬塈死之廣西州郡皆陷○帝次惠州遣使奉表請降於元

宋二年
元十四年

德祐二年正月太學忠佑廟勅○德祐二年三月賀縣修城記○德祐二年通靈廟牒○德祐二年李樂鐘款○元王貞婦記并陰

正月元命道士張宗演領江南道教○二月元軍入廣州遂陷廣東諸郡○文天祥誅吳浚○元以西僧嘉木揚喇勒智總攝江南釋教○三月文天祥復梅州四月張鎭孫復廣州五月張世傑復潮州天祥引兵自梅州出江西○八月元李恒襲文天祥於興國縣天祥兵潰走循州諸將鞏信趙時賞等皆死之○九月帝遷潮州之淺灣○十月

張伯雨雨生
黃文潛晉卿溍生
張德輿卒
傳高卒

同簽書院事○元將阿剌罕陷
廣德軍四安鎮召文天祥入衛
○元伯顏陷常州屠其民知州
事姚訔通判陳炤都統王安節
死之○以謝枋得爲江西招諭
使知信州○元董文炳入江陰
軍○左丞相留夢炎遁○十二
月詔許賈似道歸葬迓其田廬
○以吳堅簽書樞密院事○遣
工部侍郎柳岳如元軍請平伯
顏不許○以陳文龍參知政事
謝堂同知樞密院事○元伯顏
入平江○復遣柳岳如元求封
行至高郵民殺之○以文天祥
簽書樞密院事○黃萬石叛降
元都統米立死之

十一月伯厚除禮部尚書時
江陵帥朱禩孫江西帥黃萬
石皆北降丞相留夢炎猶除
拜二人官伯厚上疏駁之併
論夢炎疏入不報師引歸

宋二年
閏三月
宋端宗景炎元年
名昰○葬厓山
陵號永福
五月改元景炎
元十三年

正月元阿爾哈雅破潭州湖南
鎭撫大使知州事李芾死之謚
忠節湖南州軍皆陷○陳文龍
黃鏞遁○以吳堅爲左丞相兼
樞密使常楙參知政事○遣監
察御史劉岊奉表稱臣於元○
常楙遁以夏士林簽書樞密院
事士林亦遁○召留夢炎不至
以爲江東西湖南北宣撫大使
○元伯顏軍皐亭山太皇太后
遣使奉璽以降右丞相陳宜中

杜伯原本生
楊震卒於正月
曾如驥卒
趙良淳卒
徐道隆卒
劉師勇卒
沈忠卒
徐應德卒於三月
孫頴叔卒年七十九
林滸卒
鄧得遇卒

置司事。以王爚章鑑為左右丞相兼樞密使。爚固辭不許。十二月元伯顏渡江趨鄂州。鄂州降。遂引兵東下。詔賈似道都督諸路軍馬開府臨安。似道以孫虎臣總統諸軍。詔天下勤王。以高達為湖北制置使。李庭芝遣兵入援

元九月夷齊廟碑

宋帝㬎德祐元年 元十二年

正月以陳宜中同知樞密院事。賈似道出師次於蕪湖。二月夏貴引兵會之。以汪立信為江淮招討使。募兵禦元。賈似道復請和於元伯顏。不許。以黃萬石為江西制置使。元陷池州權守趙昂發晨起書几上曰國不可背城不可降夫婦同死節義成雙。遂與妻雍氏同縊死於從容堂。孫虎臣夏貴之師潰於江上。賈似道奔揚州。元盡陷江淮州軍。元陷饒州。知州事唐震故相江萬里死之。震諡忠介。萬里諡文忠。賈似道上書請遷都。王爚去位。江西提刑文天祥起兵勤王。湖南提刑李芾遣兵入援。以陳宜中知樞密院事。曾淵子同知院事。文及翁簽書院事。倪普同簽書院事。賈似道有罪免。右丞相章鑑遁。三月陳宜中殺殿前都指揮使韓震。元傅爾歎入漣海州。元伯顏入建康

劉整正月卒於軍
夏倚卒於正月
郝伯常卒於二月諡文忠年五十三
汪立信二月卒於軍
吳可行直方生
釋密巖生
廉希賢卒
巖忠範卒
郝巨卿卒年八十六
陝太初卒年五十四
史天澤卒諡忠武
密佑卒於十一月
王仲儀卒於十二月年四十六